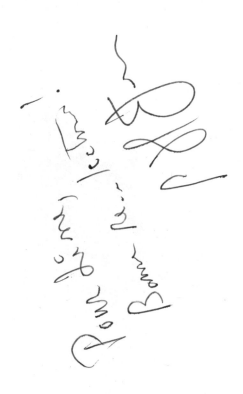

Julie

Théâtre

Panique à Longueuil, Éditions Leméac, Montréal, 1980.

Adieu, docteur Münch…, Éditions Leméac, Montréal, 1982.

26 bis, impasse du Colonel-Foisy, Éditions Leméac, Montréal, 1983.

Ne blâmez jamais les Bédouins, Éditions Leméac, Montréal, 1984. Prix du Gouverneur général.

Being at home with Claude, Éditions Leméac, Montréal, 1986.

Combien dites-vous?, courte pièce parue dans le recueil commémorant les 20 ans du C.E.A.D., VLB Éditeur, Montréal, 1986.

Le Printemps, monsieur Deslauriers, Guérin littérature, collection « Tragédie et quête », Montréal, 1987.

Le Troisième Fils du professeur Yourolov, Éditions Leméac, Montréal, 1990.

Et Laura ne répondait rien, Éditions Leméac, Montréal, 1991.

RENÉ-DANIEL DUBOIS

Julie

Illustrations de Gérard

Boréal

Les Éditions du Boréal sont inscrites au Programme de subvention globale du Conseil des Arts du Canada et reçoivent l'appui de la SODEC.

Conception graphique : Gianni Caccia
Illustration de la couverture : Gérard

Diffusion au Canada : Dimedia

Données de catalogage avant publication (Canada)

Dubois, René-Daniel, 1955-
  Julie
  Pour les jeunes.
  ISBN 2-89052-799-9
  I. Titre.

PS8557.U238J84   1996   jC843'.54   C96-941060-3
PS9557.U238J84   1996
PZ23.D82Ju   1996

À l'instigation de Rémi Boucher, Julie *a été portée à la scène en 1994 dans le cadre des Coups de théâtre – Rendez-vous international de théâtre jeune public. C'était une coproduction du Centre national des arts, des Coups de théâtre et d'Artfacte.*

Julie était interprétée par Martine Francke.
Mise en scène : Alice Ronfard.
Scénographie : Marc Sénécal.
Musique : Jean Sauvageau et Marcel Brunet.
Éclairages : Michel Beaulieu.

JULIE EST EN SIMONAK. Julie est en joual-vert. Julie fulmine. Pendant que madame Tétrault entre dans la classe soudainement obscure, son visage faiblement éclairé par les huit bougies plantées dans le gâteau qu'elle porte à bout de bras, Julie sourit. Elle fait : Oh, wow. Oh, non. Wow. Hon. Madame Tétr… Tandis qu'en elle-même : Épaisse. Tu t'imagines que je m'en doutais même pas ?

Quand, au terme de la solennelle procession, le Bonneuh Fêteuh Julieuh… a cappella solo de madame Tétrault se tait enfin, que le professeur, resplendissant, dépose la grande assiette sur le pupitre devant Julie et que toute la classe entonne le Ma chère Julie, c'est à ton tour…, Julie laisse couler une larme. De honte. On la prend vraiment, vraiment pour une épaisse. Pis les autres mongols, sont là qui embarquent là-dedans comme une gang de morons qu'ils sont.

Une chance que Julie a un contrôle d'elle-même peu commun parce qu'autrement madame Tétrault, la jubilante maîtresse de deuxième année C, serait obligée de retourner chez eux après la classe avec son gâteau-des-anges-glaçage-blanc-aux-ananas reviré sur la tête. Racontez-moi vos niaiseries sur « quand tu seras une grande fille » autant que vous voulez. Mais obligez-moi pas à vous croire. Et pis obligez-moi pas à manger votre beubitte de gâteau de fête ! Bateau !

Entre le moment où les bougies s'éteignent et celui où les stores sont relevés – À quoi ça sert ? Dehors, y fait déjà quasiment noir ! – et les lampes rallumées, Julie a tout juste le temps de penser : Au moins, ils sont trop bien élevés pour chanter la bouche pleine, et pis l'autre va être occupée à courir en arrière d'eux autres pour les empêcher d'échapper leur gâteau sur leurs culottes pour pas qu'ils se fassent engueuler par les parents, ou sur leurs pupitres pour pas qu'ils se fassent chicaner par le concierge. Ouf. La paix.

ÇA FAIT DES MOIS – pour elle : des années – que Julie bûche, cherche, note, accumule preuves et indices. Qu'elle est à l'affût. Pendant les histoires que son père lui raconte. Pendant la récréation. Elle, la tannante d'autrefois, la Terreur des haies et des pelouses de la rue Malo, à Brossard, elle refuse maintenant d'aller jouer dehors. Oh, à la rigueur, elle veut bien aller prendre des marches. Silencieuse. Lentes. De longues marches. En regardant le bout de ses bottes. Même pas dans les champs : sur les trottoirs. Finie, la tague à la récréation. Finies, les batailles de sacs d'école. Finies, les chansons à tue-tête dans le fond de l'autobus scolaire ; maintenant, Julie s'assoit dans le premier banc d'en avant – celui que, dans le temps qu'elle était tannante, elle appelait le banc des choux-fleurs, celui depuis lequel on voit le mieux dehors. Juste à côté de la porte. À côté du chauffeur. Et, pendant tout le trajet, Julie regarde. Observe. Le chauffeur, monsieur Boileau. Les gens, en bas, sur le trottoir et dans les autos qui dépassent l'autobus. Ou bien elle reste immobile, le regard perdu. Les sourcils un peu froncés. Julie est préoccupée. Habitée. Hantée.

Et révoltée.

Julie ne se souvient plus de l'incident qui a déclenché cette longue réflexion, cette quête dans laquelle elle est lancée depuis l'été dernier. De ce qui a bien pu appeler cette question qui la hante jusque dans ses rêves. Qui lui fait haïr ses copains d'autrefois. Qui lui fait trouver que le monde n'est peuplé que de menteurs qui profitent des épais : Pourquoi les Grands sont grands ? Pourquoi les Petits sont petits ? Pourquoi il y a les Grands d'un bord, et puis que de l'autre il y a les Enfants ? Pourquoi le monde est divisé en deux ?

Pourquoi il y a des affaires que les Grands peuvent faire mais pas les Petits ? Comme écouter la TV tard le soir ? Conduire une auto ? Dire Je vais à la bonk, disparaître puis revenir sans jamais raconter ce qui s'est passé là où on est allés ? Ouvrir un livre où il y a rien, pas une seule image, et faire semblant de lire pendant des heures durant lesquelles il faut pas les déranger ? Venir s'assoir à la table, le matin, avec des grandes feuilles salissantes roulées que quelqu'un vient cacher dehors à côté de la porte pendant que tout le monde dort ? Enlever l'élastique ? Les déplier ? Y a juste quelques dessins de temps en temps, et pis des mots écrits en grosses, grosses lettres, d'autres en dessous un peu moins gros et pis d'autres encore, encore plus bas, mais ceux-là y en a plein plein plein plein plein plein plein et pis ils sont petits petits petits petit petits petits petits petits. Pis là, disparaître en arrière des feuilles en soupirant et en disant Mon Dieu, Mon Dieu que ça va mal dans le monde ? Pis, tout d'un coup : Mon Dieu, je vas être en retard ou :

Mon Dieu, on va être pognés dans le trafic? Mettre les feuilles sur l'armoire? Aller chercher les bottes dans l'entrée et pis les cirer pour enlever le sel? Pourquoi les Grands mettent du sel dans les rues, qui colle après les bottes, pis qu'après ça il faut enlever sur les grandes feuilles après avoir soupiré en se cachant en arrière?

Pourquoi y a des choses que les Grands mangent ou boivent – boivent, surtout – auxquelles les Petits ont pas le droit de toucher? Le café. Le vin. Le cognac. Le poisson, à moins que leurs parents l'écra-poutissent avant d'un bout à l'autre, parce qu'y a des petites aiguilles blanches dedans qu'il faut qu'ils enlèvent une par une : C'est très dangereux, les arêtes, Julie ; ses parents enlèvent celles qu'il y a dans le

poisson de Julie avant qu'elle ait eu le droit de juste le regarder, mais ils enlèvent celles qu'il y a dans le leur au fur et à mesure, ce qui fait que Julie mange son poisson froid et que ses parents mangent le leur chaud. Pourquoi Julie a pas le droit de fumer ? On lui dit :

— C'est mauvais pour toi, ma chérie.

Pourquoi c'est pas mauvais pour eux autres ?

— Ça l'est, mauvais, Julie. Mais je fume pareil. Autrement, je chicanerais tout le temps.

Pourquoi que les Grands, eux autres, ils ont le droit de faire des affaires qui sont mauvaises pour eux autres ? En plus, ils échappent tout le temps leur cigarette sur le sofa ou sur le tapis ou sur leur linge. Et

pis là tout le monde se lève et se met à crier. Si c'était Julie qui criait de même, elle serait obligée de passer l'après-midi dans sa chambre en pénitence. Ils font des trous dans leur linge du dimanche. Julie, elle, quand on lui met son beau linge, elle peut même pas boire un Coke sans bavette parce que ça tache. Ça tache peut-être, mais ça fait pas de trous.

Pourquoi y a des choses que sa mère pis son père mangent beaucoup – comme la moutarde, ou le beurre – mais que quand Julie, elle, veut en prendre, elle se fait dire : Juste un peu, mon poulet ? Pourquoi que, quand ses parents appellent Julie mon poulet, tout le monde trouve ça cute et normal et beau et fin et affectueux, mais que quand c'est Julie qui appelle son père mon poulet devant la visite, tout le monde rit d'elle comme si elle était une dinde ? Pourquoi y a des affaires que Julie mange ou boit, comme les autres Petits – elle a vérifié… discrètement – mais auxquelles les Grands touchent pas ? Le lait. Le jus de raisin. Le jus d'orange, à moins de le boire avec d'autre chose dedans que Julie, elle, a pas le droit de mettre dans le sien. Et qui pue. Ou les Corn Flakes. Son père dit souvent : J'haïs ça, les Corn Flakes. Mais Julie, elle, est obligée d'en manger. Une chance qu'elle aime ça.

Pourquoi y a autant de meubles, d'armoires, de valises, de poignées de portes, de garde-robes, d'étagères, bâtis trop hauts ? Trop gros ? Trop pesants ?

Pourquoi que ses jouets, Julie est obligée de les serrer dans le fond de son garde-

robe aussitôt qu'elle a fini de jouer ? Sur-tout quand : Dépêche-toi, mononk arrive dans dix menutes ? Son père, lui, il laisse bien traîner les siens tout éparpillés à la grandeur du sous-sol, non ?

— C'est pas la même chose.

— Je veux bien croire, que c'est pas la même chose. Mais c'est quoi, d'abord ? Qu'est-ce qu'y a de plus dérangeant si je laisse traîner Boubou dans la cuisine que si papa, lui, il laisse traîner son set de tour-navis sur le divan du salon ?

Non ! Chuuut. Silence. Pas de réponse.

— C'est ça, c'est ça. C'est tout. Point.

Pourquoi que, quand c'est un Grand qui répond pas, c'est parce qu'il a ses rai-sons, mais qu'un Petit qui répond pas, c'est parce qu'il a une tête de cochon ?

Dans les premiers temps, Julie pensait que c'étaient juste ses parents à elle qui étaient comme ça. Mais non. Tous les Grands sont pareils : c'est pas rien que chez eux à elle qu'il y a une différence entre les Grands et les Petits, mais partout. Partout. Fins, pas fins. Beaux ou laids. Comiques ou ennuyants, les Grands sont pareils. Mais différents des Petits. Madame Tétrault ; monsieur Boileau, le chauffeur de l'autobus scolaire ; madame Gaudet, la principale ; madame Guérard, du dépanneur ; mononk Paul ; même les grands-parents. Le pire, c'est que les autres Petits, ça les frappe même pas. Ils se rendent compte de rien.

Julie est seule au monde.

COMME SI C'ÉTAIT PAS ASSEZ de s'apercevoir de ça, Julie, après, s'est mise à se rendre compte d'un tas de choses que les Grands disent et qui ont pas de bon sens. Comme quand son père lui dit qu'avant il était aussi petit qu'elle. Julie sait bien que ça se peut pas : depuis qu'elle voit son père, il est toujours pareil. Et depuis qu'elle se voit dans le miroir plain-pied de sa chambre, elle est toujours pareille. Elle est certaine que son père lui raconte une baloune. Ça se peut pas qu'avant les Grands étaient petits pis que dans longtemps, les Petits seront grands. Je le sais. Je le sais, que tous les Petits que j'ai connus, sont encore petits. O.K. ? La preuve ? Quand Julie demande à son père : Papaha, quand est-ce que je vais être grande comme toi ?, il fait Euuuh. Là, il se met à chercher un mensonge. Il a bien de la misère, parce qu'il est toujours très très occupé à faire quelque chose de bien bien important quand Julie pose ses questions – parce qu'elle veut être sûre de le prendre par surprise pour pas qu'il aye le temps de récapituler tous ses mensonges d'avant. Là, il regarde le plafond. Il regarde par la fenêtre. Il regarde son crayon et pis il trouve qu'y a plein d'affaires très très très intéressantes d'écrites dessus, qu'il faut absolument qu'il lise tout de suite. Un moment donné, il finit par dire : Euh. Quand tu vas avoir fini d'aller à l'école. Là, tu trouves que ça a l'air loin, mais tu vas voir, ça passe très très vite. Un jour… Un jour, tu vas être devenue grande, et pis tu t'en seras même pas aperçue… Papa travaille, là.

Heille ! On se moque d'elle. Mais pourquoi ? Pourquoi ils font ça ? Il doit bien y avoir une raison. Qui doit avoir quelque chose à faire avec écouter la TV tard le soir. Aller à la bonk. Aller quelque part, en auto, à l'heure où les Petits vont se coucher, en laissant la gardienne écouter la TV jusqu'à très tard. Le lendemain matin, les parents sont revenus mais ils dorment. Ils

se lèvent tard. Sont de mauvaise humeur. Bougent lentement, lentement. Julie a pas le droit de faire du tapage. Au déjeuner, papa et maman prennent seulement du café. Mais Julie a pas le droit d'en prendre. Tout ce qu'elle a le droit de manger, c'est de la maudite salade aux carottes quasiment aussi froide que de la crème à glace parce que y en reste d'hier midi. Pis papa et maman sont trop poqués pour préparer d'autre chose. Si t'es fine, à soir ou demain on va aller au restaurant. Sois fine, O.K. ? Demain. Demain.

Julie arrête pas de revirer tous ces détails-là, chacun séparément ou par paquets, en chapelets ou en motons, dans tous les sens, sous toutes les coutures. De toutes ses méditations ne sort qu'une seule

certitude. Toujours la même. Épouvan-
table. Monstrueuse : il y a un complot !
Un… Un guet-apens ! Euh. Un piège !
Euh. Un mensonge !

U N SOIR, IL Y A QUELQUE TEMPS, papa lui a raconté une histoire. Plate. Elles le sont quasiment tout le temps, plates, les histoires qu'il lui raconte pour l'endormir. La plupart du temps, même lui a l'air de s'ennuyer à les raconter. Mais. Y a des fois. Tout d'un coup. Il se penche vers elle. Il dit, tout bas : Non, non. Je le sais. Attends. Et là, il introduit un détail inattendu dans l'histoire. Ou bien tout un plein paquet de détails. Et pis tout d'un coup, sa voix change. Et pis tout d'un coup, les personnages se peuvent. Et pis

l'histoire se peut. Et pis même lui, tout d'un coup, il a l'air intéressé à savoir c'est quoi la fin. Ah, ces fois-là, oui, ces fois-là Julie sait que les Grands ont quand même des points communs avec elle. Ou bien serait-ce plutôt elle qui aurait des points communs avec eux?

En tout cas, ce soir-là, c'était une sombre affaire de princesse qui mange une pomme que lui a donnée une sorcière. Mais il y avait quelque chose que la sorcière avait mis dans la pomme. Et boum!, la belle princesse épaisse tombe endormie! Julie s'est dit: Non, mais faut-tu être épaisse en monde pour manger quelque chose que quelqu'un de laite comme la sorcière te donne. Et, tout de suite après: Hein? Mais pourquoi il me raconte une histoire épaisse de même ? Il passe son temps à me dire que le monde dangereux, ils l'ont pas écrit dans le front, qu'ils sont dangereux. Qu'il faut pas embarquer dans une auto, ou parler à quelqu'un qu'on connaît pas. Surtout si il est très fin. Pourquoi il dit « fin » dans vie, et puis « laite » dans les histoires ? Ça marche pas. Ça marche pas : c'est le monde fin, qui s… Hon. Julie venait de comprendre. Mon doux. Son père venait de se trahir.

Là, Julie… Julie. Julie avait envie de se mettre à le griffer. Elle avait envie de lui sauter au cou pis de le serrer fort fort fort : Pourquoi ? Pourquoi vous faites ça ? Pourquoi vous gardez toutes les bonnes affaires pour vous autres tout seuls ? Ça vous ferait rien que j'en prenne un peu.

Ce soir-là, Julie n'a pas entendu la fin de l'histoire, bouleversée par l'horreur de la découverte qu'elle venait de faire : ce que les Petits sont obligés de manger et que les Grands haïssent ?, c'est ça qui les fait rester petits. Les Grands les empoisonnent ! Mais c'est effrayant ! C'est. C'est. C'est écœurant !

Ça vous ferait rien, que j'en prenne un peu. Des fois, le vin a le temps de plus être bon parce que vous avez pas eu le temps de tout le boire, il faut que vous le jetiez. Le café, y en reste tout le temps, vous le videz dans le lavabo. Tes cigarettes, t'en passes à tes amis. Pourquoi pas à moi ? Ça vous enlèverait rien. Pourquoi vous m'empoisonnez pour que je reste petite ? Hein ?

Et puis, tout de suite après, Julie a eu

un nouvel éclair de compréhension. Qui a fait encore plus mal. Non seulement y a quelque chose dans ce que les Petits mangent qui les fait rester petits, mais y a quelque chose dans ce que les Grands mangent – et ils veulent pas que les Petits y touchent – qui les fait rester grands : si les Petits en buvaient ou en mangeaient, ils deviendraient des géants eux autres aussi et ils auraient les mêmes droits que leurs parents.

Mon doux que Julie avait hâte que son père finisse son histoire et se la ferme. Lui sacre la paix. La laisse réfléchir à tout ça.

Ce soir-là, Julie n'a pas dormi. Elle a fait la liste de ce qu'elle ne devait plus manger. Et celle de ce qu'elle allait devoir goûter. Le lendemain matin, elle passait à l'action.

Maintenant, quand le dessert arrive, Julie prend son verre de lait, auquel elle a pas goûté, et dit : Je vais faire mes devoirs. En passant devant les toilettes, elle vérifie si on ne la voit pas. Et vide son verre dans la bolle. Elle donne les biscuits au chocolat de son lunch à ses amis. Elle passe des heures et des heures – après que ses parents se sont couchés – à plat ventre sur le journal d'à matin tout froissé, tout plein de sel, à essayer de le déchiffrer. Elle traîne le dictionnaire avec elle. Mais elle y arrivera jamais : à chaque mot qu'elle cherche, pour le comprendre, elle doit en chercher vingt autres. Ça lui prend toute la nuit pour passer à travers un tout petit paragraphe, et alors elle a le front tout chaud et les yeux qui brûlent. Et pis elle arrive pas à se souvenir du sens des premiers mots qu'elle a cherchés. Il faudrait qu'elle recommence. Ça a pas de fin. Et même là : elle comprend le sens des mots mais pas celui des phrases. C'est quoi, un Clin-ton ? Julie essaye de comprendre ce que ça peut bien avoir à faire avec dé-plo-yer. Elle s'enrage. Le sens se sauve. Veut pas se laisser attraper. Parfois, Julie a envie de déchirer le dictionnaire. De se mettre à crier. Mais il faut pas réveiller papa et maman. Il faut se contrôler. Alors elle pleure. En silence. De rage. Puis va dormir un peu avant de partir pour l'école.

À l'école, Julie boit chacun des mots de la maîtresse. N'en perd pas un. Elle l'observe. Elle va lui parler à la récréation. Peut-être qu'elle va finir par se trahir, comme papa? Lui apprendre quelque chose d'important, pour une fois?

Le soir, après les histoires niaiseuses de son père, Julie se relève, va – sur la pointe des pieds – se cacher derrière la porte du garde-robe de l'entrée et écoute la TV dans le dos de ses parents. Il y a des films – qui sont pas comme ceux qu'on lui permet d'écouter – dont Julie sait que papa et maman ont très très hâte de les écouter. Julie se dit : Ça va sûrement me donner un indice. Mais c'est tout le temps des films où le monde parle dans des langues de fous. Y a des choses écrites en bas de l'image mais Julie a pas le temps de lire. Ça va trop vite. Julie voudrait frapper dans la porte du garde-robe, pousser le cri de Tarzan, casser des vitres.

Malgré tout son travail, le temps et l'énergie qu'elle leur consacre, les recherches de Julie n'avancent pas. Elle piétine. Papa et maman trouvent qu'elle maigrit. Mais elle a toujours eu tendance à être grassette, ça va lui faire du bien. Elle est un peu trop sérieuse. Mais ses notes n'ont jamais été aussi bonnes. Papa et maman sont fiers de Julie.

Julie continue de chercher. D'essayer. De risquer. Une nuit, Julie a mangé un plein pot de moutarde, à la cuillère.

Mais Julie ne grandit toujours pas.

Alors Julie se dit : Le poison qui rend grand, il y en a peut-être des morceaux dans différentes affaires qu'il faut prendre ensemble ?

F A QUE. BON. APRÈS LA CÉRÉMONIE du gâteau-des-anges de madame Tétrault. Bon. Dans l'autobus scolaire. Julie. Julie est encore toute pompée. Elle a les mains moites dans ses mitaines. Ce soir, grand-papa et grand-maman Doyon et grand-maman Deschênes viennent manger à la maison pour sa fête.

La cérémonie des cadeaux est trop longue au goût de Julie. Non, mais je m'en sacre-tu, moi, de votre ordinateur. Mais elle joue le jeu : Oh. Wow. Oh. Hon. Ah, merci. Merci. Merci. Et pis des becs. Et pis des embrassades. Et pis des petites tapes sur les joues. Et pis des petites tapes sur les fesses. Et pis les mains dans les cheveux. J'ai faim, maman. On mange-tu? Julie a faim! Ah, que ça leur fait plaisir. Là, ils sont contents, hen? Les grands-parents trouvent tellement que la petite est rendue tellement maigre. Pauvre petite. Michel, tu devrais l'emmener voir ton ami docteur, là, comment qu'il s'appelle, là? Yvon? C'est le repas. Qui finit plus. C'est long. Ils parlent. Ils veulent-tu que Julie en raconte, des affaires. Pis ils veulent-tu tout savoir. Mais. Le temps du dessert finit par arriver. Mon Dieu que la mère de Julie a été surprise, quand elle lui a demandé ce qu'elle voulait comme cadeau et que Julie a répondu :

— Un baba au rhum.

– Oui. O.K. Pis quoi d'autre ?

– Rien d'autre, maman. Juste ça : un baba au rhum.

Eh bien, ça y est. Il est là, sur la table, le baba au rhum. Avec juste une petite chandelle plantée dedans. Mon doux que ça goûte le yab', cette affaire-là. Beurk. Mais Julie sourit comme un ange en le dévorant lentement. Posément. Poliment. En le savourant. Même si elle a envie de le recracher. Sont ben capables d'avoir mis du mauvais goût dedans juste pour pas que j'aye envie d'en prendre trop souvent.

Après le dessert, Julie laisse les grands-parents, papa et maman dans la salle à manger, dit qu'elle est fatiguée. Embrasse tout le monde sur les deux joues. Les laisse continuer à jaser. Se retire dans sa chambre. Ferme la porte de sa chambre. Allume toutes les lampes. Se déshabille. Se plante, toute nue, devant le grand miroir. Et se regarde. Et attend. Attend. Attend. Et s'observe.

Rien.

Julie passe toute la soirée à se regarder dans le miroir, prête, à la moindre alerte, à sauter dans sa robe de chambre et à se plonger dans ses devoirs. Mais. Rien. Rien ne se passe. Julie est toujours une petite fille.

Tout d'un coup, Julie entend ses grands-parents parler d'y aller. Elle éteint les lampes. Se couche. Fait semblant de dormir.

Procession dans la chambre de Julie. Tout le monde chuchote. Tout le monde

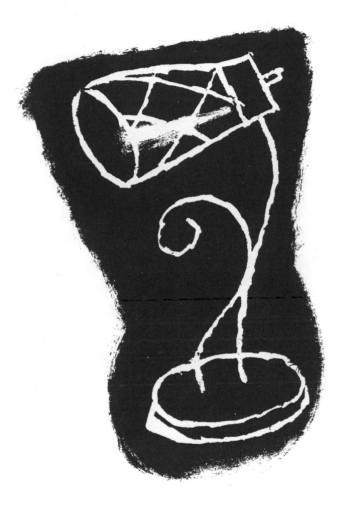

marche sur le bout des pieds. Julie gémit un peu. Se tourne de l'autre côté. Cérémonie des petits becs au petit ange au sommeil si pur.

Les grands-parents sont partis. Bruit lointain, confus, de la TV. Pas longtemps. La TV s'éteint. Bruit de la chasse d'eau. Des pas dans le couloir. La porte de la chambre de papa et maman qui se ferme.

Silence.

Julie se relève. C'est cette nuit ou jamais. Là, ça suffit. Julie traverse la maison. Tout est noir. Tout est silencieux sauf la fournaise qui gronde, loin, loin.

Dans la salle à manger, ça sent la fumée de cigarettes froide. Sur la table, il reste des bouteilles à moitié pleines de vin rouge.

De cognac. D'armagnac. Julie boit au gou-
lot. Ça brûle. Ça tourne. Les objets se mettent à changer de forme. La pièce est toute
croche. Julie a l'impression qu'elle ne
pourra plus avaler une seule goutte. Ça
goûte ben trop fort, cette affaire-là. Ça
goûte don ben mauvais. Des larmes cou-
lent des yeux de Julie mais Julie ne pleure
pas. Sa langue est épaisse. Elle se sent qui
vibre. Elle se sent molle. Mais elle boit. Encore. Encore. Ah, pis tiens, encore !

Il y a les Gitanes de papa sur la table.
Julie en fume une. Tousse en se tenant la
bouche avec une napkin.

Julie prend une fourchette et vide le
beurrier. Le beurre est tout mou. Julie vide
le sucrier. Reprend la bouteille d'armagnac. Gorgée. Gorgée. Les tasses à café

sont presque toutes pleines. Julie les vide. C'est froid. C'est fade. Gorgée de cognac. Julie marche. Vers le salon. Le couloir est long. Long. Long. Et tout croche. Julie avance en appuyant l'épaule contre le mur pour ne pas tomber.

Dans le salon, il y a encore d'autres bouteilles et, là aussi, ça sent la fumée de cigarettes froide.

Julie s'accroupit devant la TV. Une gorgée de cognac. Julie allume une cigarette. Allume la TV. Juste assez de son pour entendre. Julie a le visage à un pied de l'écran. Gorgée. Bouffée. Images.

Après trois cigarettes, beaucoup de gorgées, beaucoup d'images, Julie se dit : Of, là, j'en ai pris autant qu'eux autres. Ça suffit. Julie éteint la TV.

Julie retourne dans sa chambre. Julie se traîne. Julie pense : Je me rendrai jamais. C'est bien trop loin. Elle se rend pourtant. Se traîne tout le long de l'interminable couloir. Jusqu'à sa chambre.

Julie enlève sa robe de chambre. Julie enlève son pyjama.

Ben voyons. Ça a pas de bon sens. Julie est encore une petite fille. Julie est pas une Géante. Julie se voit, presque appuyée contre le grand miroir où son image occupe pas la moitié de la hauteur, encore toute petite. Mais elle voit l'image de loin, loin. Découragement. Déroute. Échec.

Dans le miroir, Julie se regarde sans croire à ce qu'elle voit. Elle se scrute. Elle regarde ses mains. Son ventre. Ses cuisses.

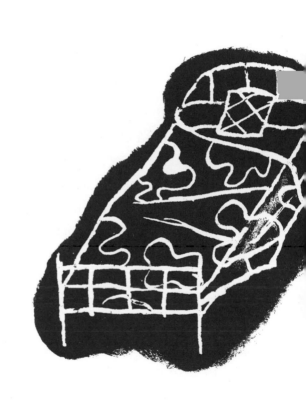

Non. Non, pareille à hier. À avant-hier. À la semaine passée.

Julie veut se coucher. Dormir. Dormir tout de suite. Ah, dormir.

Julie se traîne. Abattue. Jusqu'aux pitons des lampes de sa chambre. Jusqu'à son lit.

Julie pose la tête sur l'oreiller. Ça tourne. Julie se sent mal. Elle se sent tomber par en arrière. Julie pense à la pomme. À la vilaine sorcière. À la princesse épaisse. Julie a envie de dormir. Julie pense à la princesse épaisse qui dormit parce qu'elle avait mangé une pomme empoisonnée. Julie aussi s'endort. Comme la princesse. Elle a mal au cœur. Julie se dit : Ça y est. Ça doit être ça : je grandis. C'est pour ça que je m'endors tant. Et pis que j'ai mal au cœur. Ça y est. Ça marche.

Julie voudrait se relever. Rallumer les lampes. Se planter devant le miroir et se regarder grandir. Tout à l'heure, c'était trop de bonne heure. Le poison avait pas eu le temps de faire effet. Mais Julie a pas la force de se relever. Elle est trop molle. Trop étourdie. Alors elle s'endort. Contente.

JULIE EST RÉVEILLÉE PAR DES CRIS. Les cris de sa mère. Puis, tout de suite après, il y a une odeur effrayante. Et une sensation physique épouvantable : elle se sent collée aux fesses. Son oreiller est tout mouillé. La lumière du matin lui fait mal aux yeux. Comme des épingues.

Elle se sent loin mais mal. Elle se sent empêtrée. Gluante. Elle voit sa mère penchée sur elle, qui parle, mais Julie n'entend pas les mots que sa mère prononce. Et puis, tout d'un coup, la tête de la mère de

Julie n'est plus là. Julie voit la tête de son père, à la place, toute proche. Et tout est confus. Julie se sent lourde. Elle sent que quelqu'un la soulève. Son père la soulève. La porte dans ses bras. Ça pue. Mon Dieu, que ça pue.

On la lave, maintenant. Julie est dans le bain. Dans l'eau chaude. Oh oui, il fait chaud. Julie se sent un peu mieux. Son père est en train de la laver. Son père lui parle, mais Julie ne comprend pas le sens des mots. On dirait que c'est des questions. Mais ça se passe trop loin : ça concerne pas Julie. Julie veut dormir. Dormir.

Julie voit vaguement sa mère passer, loin loin, là-bas, par-dessus l'épaule de son père, dans le couloir, par la porte ouverte de la salle de bain. Sa mère porte une brassée de draps. Et elle lève le nez. Et elle parle fort.

Tout d'un coup, Julie se réveille. Elle est revenue dans son lit. Les draps sont nets. Et l'oreiller, c'est celui… c'est un de ceux du lit de papa et maman. Oh, que c'est doux. C'est chaud. C'est moelleux. Julie entend papa et maman qui parlent dans la cuisine. Julie se rendort. Elle entend, loin, loin, loin, loin, loin, loin, loin, maman. Maman qui met ses bottes. Maman va être en retard au travail. À cause des maudites souffleuses. Elle a sa voix pointue pointue, comme les fois où Julie était tannante, avant, et que maman finissait par crier à papa : Fais queuk chose, m'a venir folle. Là, maman dit : Appelle Yvon. Quelques minutes plus tard, papa raccroche le téléphone de la cuisine et dit : Y est déjà parti de chez eux mais y est pas encore arrivé à l'hôpital. Maman dit : Môsus, il faut que j'y aille. Tu vas-tu être correct ? Boivin voudra jamais me croire, y va m'arracher les yeux si j'arrive en retard à la réunion. Maman et Boivin, ils s'aiment pas. Maman pense tout le temps que Boivin veut lui faire mal. Tout d'un coup, Maman est à côté de Julie, lui donne un gros bec puis part en courant. Julie entend la porte d'en avant qui se ferme.

Maman est partie. Et tout d'un coup, c'est papa qui est nerveux. Comme s'il avait quelque chose de très très très très important à faire. Il passe dans le couloir en faisant Hmmm. Puis tout de suite après, il repasse dans l'autre sens en faisant

Ah là là là là. Julie l'entend qui parle à
mononk-Yvon-le-docteur, elle entend :
T'es ben fin. À onze heures. Merci. Oui. À
tout à l'heure. C'est vrai qu'il est fin, mononk Yvon. Pour un Grand. Julie entend le
téléphone qui raccroche. Et puis papa qui
le redécroche tout de suite après. Il signale.
Il parle à quelqu'un d'autre : Allô, Jeannine ? Je pars, là. Je vais y être dans trois
quarts d'heure. Mais juste cinq minutes,
hen, mon amour ? C'est qui, Jeannine ?
Pourquoi papa l'appelle mon amour ? Maman s'appelle pas Jeannine. Pourquoi il
parle tout bas ? C'est un secret, qu'ils vont
partir ? Hen, « JE » ? Comment ça : « JE
pars » ? Il va partir tout seul ? Papa va pas
partir et laisser Julie toute seule à la maison ? Hen ? Hen ? Non. Papa raccroche. Il

chante tout bas. Il arrive dans la chambre de Julie. Il a l'air sérieux. Papa t'amène voir mononk Yvon à son hôpital pour être sûr sûr sûr que t'es correcte. Ouf. Julie fait O.K., puis elle s'endort.

Julie se réveille. Le son. Et la lumière. Le son et la lumière ont encore changé. Un peu. Julie tourne la tête. Papa est en train de lui sortir des vêtements du garde-robe. Il les dépose sur le dossier de la chaise, devant le pupitre de Julie.

Papa lève Julie. L'habille. Mon doux qu'il est doux. Julie est toute molle. Elle a pas envie de faire l'effort de se tenir debout. Elle a pas envie de faire l'effort de s'habiller. Il faut que papa l'habille. Comme un Petit. Julie aperçoit, le temps

d'un éclair, sa propre image dans le grand miroir. Sa propre image. Semblable à celle d'hier. Elle a pas grandi. Julie est trop faible pour protester.

Julie est tout habillée, maintenant. Papa l'a assise sur le divan du salon. Béret. Foulard. Bottes. Mitaines. Mon doux qu'il fait chaud. Julie regarde dehors, à travers les grandes fenêtres, les grands rideaux : on dirait qu'il fait blanc, dehors. Julie pense – mollement – qu'à cette heure-là, elle devrait être à l'école et papa au raboratoire.

Julie arrive à se concentrer juste assez pour demander :

— C'est qui, Jeannine, papa ?

— Hein ? Heu. Une madame. Tu veux un livre, pour lire, dans l'auto ?

Papa met son manteau. Son foulard. Sa

tuque. Prend Julie par la main. Papa et Julie sortent.

Dehors, il fait beau. C'est vrai : il fait blanc. Il a neigé. Un tout petit peu. Derrière l'auto de papa, qui fait de la fumée, il y a les traces des pneus de celle de maman.

Dans l'auto de papa, il fait trop chaud. Ça engourdit. Ça endort. Ça ramollit. Surtout avec le parfum de papa. Quand il met ce parfum-là, maman lui dit qu'il sent le char neuf, et ça le fait choquer. Papa met la radio. Trop fort. Le monsieur crie : Notre bulletin de dix heures. Julie trouve ça bien bien drôle, un bulletin de dix heures. Julie aimerait ça, rire. Elle se sent trop malade. Trop engourdie. Mais elle trouve ça bien drôle pareil : elle, elle a des bulletins seulement à tous les mois. Et elle ne sait jamais à quelle heure elle va l'avoir.

Julie entend : Clinton. Elle entend : Déployer. Mais elle arrive pas à se rappeler pourquoi ce serait supposé l'intéresser.

Papa dit : Il faut juste que papa fasse une petite commission sur la rue Saint-Denis. Ce sera pas long. Julie haït ça quand Papa parle de lui en disant « Papa » : Il faut que papa fasse ceci ou bedon il faut que papa fasse ça. Elle trouve qu'il lui parle en bébé.

Julie se réveille parce que papa chicane et que la voiture avance par à-coups. Comme si elle avait envie d'aller vite. Mais elle ne peut pas parce que le maudit trafic. Julie voudrait toujours être engourdie comme ça. Avec la radio, même si elle est fatiquante parce qu'elle est trop forte. Et pis les camions. Et pis la lumière bleue et blanche dans la fenêtre d'en-avant. Et pis la neige sur les branches des arbres. Et pis il fait trop chaud. Et pis le parfum de papa. Julie se souvient pas qu'elle est une petite fille.

Julie entend : Câlice de parking. C'est papa. Julie somnole un peu. L'auto bouge à reculons.

Julie ouvre les yeux. Le moteur tourne encore. Papa regarde Julie. Il change le poste, à la radio. Il met de la belle musique. Il dit : Juste deux minutes. Il ouvre sa porte. Descend de la voiture. Il s'éloigne, les bras en l'air de chaque côté parce qu'il essaye d'aller trop vite pis que ça glisse, youps ! il va… ! Non, y est correct.

La musique est bien belle, à la radio.

Mais au bout de deux minutes, Julie a envie de faire pipi. Elle se dit : Je vais attendre papa. Mais après ça, elle se dit : Peut-être que je vas pas être capable d'attendre ? Et puis : S'il faut que je retourne faire pipi quand papa va revenir, peut-être qu'on va arriver en retard à l'hôpital de mononk Yvon ? Et pis peut-être que mononk Yvon va être choqué ? Alors, Julie tourne la clé. Le moteur s'arrête. La radio aussi. Julie tire sur la clé. La met dans sa poche de manteau, pour pas l'échapper. Julie barre sa porte. Vérifie que les deux portes d'en arrière sont bien barrées. Se glisse sur le siège jusque vis-à-vis du volant. Elle a hâte que ses pieds se rendent jusqu'aux pédales, mais là, si elle voulait conduire, elle verrait pas dehors et pis papa dirait que c'est dangereux. Elle ouvre la porte du côté de papa. Descend de l'auto. Pèse sur le piton de la porte et referme fort. Patang. Elle se dirige vers la sorte de magasin où papa est entré. Ça glisse, mais pas tant que ça, c'est juste parce qu'il voulait aller trop vite que papa était obligé de marcher en bonhomme de neige.

Il fait froid. Mais juste aux joues et un peu aux oreilles. On est bien. C'est beau. Julie est contente d'être ici, toute seule sur une rue où il passe plein de gros camions et d'autos. Elle est contente qu'il y aye pas d'autres Petits, autour. Elle est contente d'être en vacances à elle toute seule. Elle se sent légère. Molle, mais légère.

Julie arrive devant le magasin où papa

est entré. Devant des grandes vitrines. C'est pas vraiment un magasin. De l'autre côté de la vitrine, à la place des bonshommes debout sans bouger qui portent du linge d'habitude, ici il y a des tables avec des Grands assis autour, qui boivent. Qui lisent des grandes feuilles sales comme celles de papa et maman. Julie attrape la poignée de la porte du magasin. Dans la porte c'est écrit : Café. Julie trouve ça drôle, un magasin qui s'appelle café. Elle s'imagine que la bâtisse est posée dans une grande grande soucoupe, et puis que, de l'autre côté, il doit y avoir une anse. Julie tire sur la poignée de la porte. Fort.

Badoum badoum. Badoum badaboum.

Y a de la musique qui joue, dans le magasin. Fort fort fort. Julie entre.

Ça sent pas le café, ça sent la fumée. Et pis il fait trop chaud. Papa est là ! Il parle avec une madame, là, là, en bas. Julie les voit qui se parlent proche proche proche, tout bas, on dirait, en se regardant fort fort fort dans les yeux. Papa regarde la madame avec un drôle d'air, pareil comme si elle était un beau cadeau et qu'il s'était pas attendu à en avoir un aussi beau pour sa fête. La madame, elle, elle regarde papa pareil. Pareil comme si lui aussi il était un beau beau beau cadeau auquel elle s'attendait pas. Comme quand il est tellement beau, le cadeau, qu'on est même pas capable de faire Oh, mais c'est don bien beau. On dirait qu'ils parlent tout bas, mais Julie se demande, juste une seconde, s'ils parlent, en fait, ou bien si leur lèvres bougent mais qu'en fait ils disent rien, parce qu'ils savent pas quels mots dire? Et pis les deux, ils sourient pareil comme. Comme. Euh. Comme quand l'été on est en auto, pis les fenêtres sont ouvertes, pis le vent chaud entre dans l'auto, pis dehors y a des gros arbres verts verts verts, pis on dirait que l'air est... comme de l'or, comme si l'air brillait, tellement y a du soleil dedans, pis d'un coup on est content mais on sait pas pourquoi, pis c'est comme si y avait deux soleils : un dans le ciel, pis un dans notre ventre, doux doux. Maman appelle ça être reureux. Papa et la madame, ils ont l'air reureux. Julie trouve ça tellement beau, leurs yeux et pis leur sourire, qu'elle se met à sourire, elle aussi.

Passé le monde assis dans la vitrine, y a un escalier qui descend. Julie descend l'escalier. Mais. Mais quand elle arrive proche de papa, pour lui demander Dérange-toi pas, je veux seulement savoir où sont les toilettes, tout bas, parce que Julie sait qu'être reureux c'est très très fragile, c'est cassant, il faut pas parler fort, il faut pas s'énerver, dans ce temps-là, sinon le soleil dans le ventre s'en va, elle veut le demander tout bas, mais même tout bas, elle peut pas : il est occupé. Il embrasse la madame.

Comme papa et maman font, des fois, quand Julie regarde la TV dans le garde-robe.

Ils s'embrassent. Ils s'embrassent. Ça

finit plus. Mais c'est pas comme avec maman. Là. Là, Julie comprend quelque chose, tout d'un coup. Elle savait jamais pourquoi ils font ça, les Grands, dans les films, dans la rue, s'embrasser comme papa et pis la madame font. Mais là, elle comprend : c'est une sorte de. De façon d'être reureux. Julie se rend compte que le soleil qu'elle a dans le ventre, des fois, il la rend tellement bien qu'elle rit pour rien, elle se rend compte que si le soleil elle pouvait le prendre dans son ventre, le lever à bout de bras dans ses mains, et pis le regarder, elle le regarderait avec le même air que papa et la madame se regardaient. Et. Et. Que. Comment dire ça ? Que quand ils s'embrassent de même, les Grands, c'est parce qu'ils savent plus quoi dire. C'est.

C'est une manière de dire au soleil qu'on est bien avec lui en dedans de nous autres.

Julie est juste là, à côté d'eux autres, elle pourrait leur faire toc toc toc, y a-tu quelqu'un?, sont juste là, devant elle. Mais elle fait rien. Elle les regarde, qui se passent les mains dans les cheveux.

D'un coup, Julie se rend compte qu'elle ne s'endort plus. Du tout. Elle est plus engourdie. Elle. Elle se souvient. Se souvient de pourquoi elle est pas à l'école, ce matin. Elle sait pourquoi elle est ici.

Elle repense à la bonk. À la moutarde. Aux armoires trop hautes. À Boubou. Aux Corn Flakes, aux cigarettes qui font des trous, au jus d'orange. Et pis. Et pis. À comment papa et la madame se regardaient, avant de se mettre à s'embrasser.

Elle a jamais vu personne se regarder comme ça. Mais elle a l'impression qu'elle sait c'est quoi. Comme. Comme un ami qu'on voit tous les jours à l'école, mais tout d'un coup, une fois, on le rencontre, mais on se souvient plus de son nom; il est juste là, son nom, juste sur le bord, mais il veut pas se laisser attraper. Et puis là. Là. Là! Julie sent comme. Quelque chose. Qui monte en dedans d'elle. C'est fort. Fort. Ça monte comme, comme l'eau qui monte dans le bain. Comme si elle était choquée noir, mais c'est pas ça, elle est pas choquée, mais c'est fort pareil comme quand elle l'est, qu'elle entend plus rien, que c'est comme si c'est plus elle qui décide quoi faire. Et puis c'est comme de la peine, aussi, une énorme,

une épouvantable peine, mais c'est pas ça non plus, mais ça fait le même effet, comme un poids qui pèserait ici, en haut de la poitrine, mais c'est pas triste, mais c'est comme si elle allait pleurer. On peut-tu pleurer pour autre chose que d'avoir de la peine ? Julie s'était jamais demandé ça, avant. Elle se dit : Va falloir que je repense à ça. Peut-être qu'on peut pleurer pour d'autre chose que de la peine ? Papa et la madame s'embrassent encore. Julie, elle, cherche un mot. Il doit bien y avoir un mot, pour ça, qui monte dans Julie ? Mais Julie se rend compte qu'elle sait pas c'est quoi, le mot. Ils en parlent pas, dans les grandes feuilles salissantes. Et puis elle l'a jamais vu dans le dictionnaire. Va falloir qu'elle le cherche. Julie se promet de passer à travers tout le dictionnaire, mot par mot, s'il faut, pour le trouver, le mot. Mais là, elle.

Julie respire. Fort. Fort. À fond. Mon doux. Mon doux qu'il fait beau, dehors. Mon doux que j'ai envie de marcher entre les camions. Mon doux qu'il fait chaud et pis que ça pue la boucane, ici. Mon doux que j'ai envie de voir plus plus plus la rue et pis la lumière bleue et blanche qu'il fait dehors.

La chanson qui jouait trop fort est finie. Tout d'un coup, Julie entend juste le monde, assis aux tables, qui jase doucement. Ce qui fait que si Julie le savait, le mot, l'affaire qu'elle veut dire à son père, elle serait pas obligée de crier. Elle a pas envie de crier. Elle a juste envie de lui dire quelque chose de bien bien important, tout bas tout bas. Mais elle sait pas quoi. Mais c'est un secret. Un beau secret.

Papa est encore en train d'embrasser la madame.

Julie les regarde. Il faut qu'elle fasse quelque chose. Mais quoi ?

Julie se campe solidement.

Et Julie sacre un coup de botte, de toutes ses forces, dans le tibia de son père.

Tout de suite, elle le regrette. Mon Dieu, j'ai tapé trop fort. Je voulais juste lui dire : je suis là, papa. Je t'ai vu. Dis-moi, papa, c'est quoi, ça, que j'ai vu dans tes yeux ? C'était tellement beau. Dis-moi c'est quoi, papa. Mais à la place, elle a tapé trop fort. Comme quand elle est trop de bonne humeur, et pis qu'elle crie à la place de juste chanter tout bas comme elle en aurait envie, parce qu'elle a peur que ce soit pas assez, de juste chanter tout bas.

Le coup de pied, c'est comme s'il donnait un choc électrique à papa. Papa arrête net d'embrasser la madame. Il tourne la tête. Il voit Julie. Julie et lui se regardent. Et pis le visage de papa change. Comme s'il avait très peur, tout d'un coup. Julie a peur de lui avoir fait mal. Oh non, c'est pas ça que je voulais. Les lèvres de papa bougent, mais y a pas de mots qui sortent. Julie se rend compte que tout le monde, dans le magasin, s'aperçoit qu'il est en train de se passer quelque chose, et que tout le monde se tait, un après l'autre, pour regarder Julie et son papa qui se regardent.

Julie trouve que ça a pas de bon sens,

que papa aye l'air d'avoir peur d'elle. Et pis
qu'il soit pas capable de parler. Julie comprend : Papa doit penser que je suis choquée après lui. Mais c'est pas ça. Mais Julie
sait pas comment lui dire. Alors elle fait
juste un petit geste, avec sa mitaine : Non
non, c'est pas ça. Mais papa a pas l'air de
comprendre. Il a encore l'air d'avoir peur.

Julie soupire. Fort. Fort fort fort. Malgré elle. Et pis elle se détourne vers l'escalier. Tout le monde dans le magasin les
regarde en silence, son papa et elle. Mais
Julie s'en sacre. Elle part vers l'escalier. Elle
entend papa qui respire fort. Elle monte
l'escalier. Elle entend papa qui fait comme
un petit grognement, comme s'il cher-
chait un mot mais qu'il arrivait pas à trouver le bon, ou bien comme si y en avait

beaucoup beaucoup qui voulaient tous sortir en même temps. Julie est rendue en haut de l'escalier. Elle s'arrête et se retourne. Papa est là, en bas, avec toujours l'air d'avoir peur. La madame aussi a l'air d'avoir peur. Ça a pas de bon sens. Julie veut pas que son papa et la madame ayent peur. Il faut qu'elle dise quelque chose. Alors c'est comme si elle enlevait le bouchon qui retient ce qui monte en dedans d'elle depuis tout à l'heure, mais peut-être que ça monte depuis bien plus longtemps que ça. Elle enlève le bouchon, et pis elle aussi, elle a peur : elle a peur que ça fasse boum! Elle a peur de se mettre à crier. Mais c'est pas grave, il faut qu'elle essaye pareil. Elle enlève le bouchon, mais. Mais y a pas de cri. Y a pas de boum. Oh non. Ce qui sort de Julie, c'est doux. C'est gentil. C'est comme un chat roulé en boule, qui ronronne. Ça s'appelle la tendresse. Julie regarde son papa, et elle dit, tout bas mais assez fort pour qu'il entende : Quand quelqu'un pense qu'il faut qu'il garde le soleil pour lui tout seul, parce qu'il pense que si il le partage il va en avoir moins, c'est parce qu'il a pas compris c'est quoi, le soleil. Le soleil en dedans, c'est le contraire de tout le reste : plus on en donne, et pis plus on en a.

Julie fait un grand sourire. Comme si le sourire partait d'en dessous d'elle, passait par ses pieds, ses jambes, son ventre, sa poitrine, sa gorge, et venait faire une grande fleur. Julie trouve ça extraordinaire, elle avait jamais pensé à ça : un sourire, c'est comme une fleur. Elle est tellement surprise qu'elle regarde les autres personnes, dans le magasin : tout le monde la regarde avec des yeux ronds. Comme si tous ces Grands-là étaient surpris qu'une Petite comme Julie aye compris ça.

Julie se détourne. Et puis Julie sort du magasin, dans un silence pareil comme un silence d'église.

Ah. Mon doux qu'il fait beau. Eh, que j'aime ça, quand il fait froid de même. L'air est lumineux. Au coin de la rue, la lumière est rouge. Julie part par là. Elle est en même temps un peu triste, parce qu'elle sait qu'elle vient de perdre quelque chose – elle sait pas quoi, mais quelque chose en elle est changé – et pis en même temps, elle se sent légère, légère comme elle a jamais été : c'est la première fois qu'elle fait quelque chose que personne lui a demandé. Elle marche vers le coin. En se disant : Ouais. Oh, oui. Oh, oui. Ça y est. Oh, oui. Je sens que cette fois-là, c'est vrai. Oui. Je commence à grandir pour vrai.

MISE EN PAGES ET TYPOGRAPHIE : LES ÉDITIONS DU BORÉAL

ACHEVÉ D'IMPRIMER EN SEPTEMBRE 1996 SUR LES PRESSES

DE L'IMPRIMERIE GAGNÉ, À LOUISEVILLE (QUÉBEC).